Band 7
Im Reich der Mammuts

Alle **Baumhaus-Bände** auf einen Blick:

Mary Pope Osborne

Im Reich
der Mammuts

Aus dem Amerikanischen
übersetzt von Sabine Rahn
Illustriert von Rooobert Bayer

ISBN 978-3-7855-4005-3
9. Auflage 2010
Titel der Originalausgabe: *Sunset of the Sabertooth*
Copyright Text: © 1996 Mary Pope Osborne
Copyright Illustrationen: © 2001 Loewe Verlag GmbH, Bindlach
Alle Rechte vorbehalten
Erschienen in der Original-Serie *Magic Tree House*™.
Magic Tree House™ ist eine Trademark von Mary Pope Osborne,
die der Originalverlag in Lizenz verwendet.
Veröffentlicht mit Genehmigung des Originalverlags,
Random House Children's Books, a division of Random House, Inc.
© für die deutsche Ausgabe 2001 Loewe Verlag GmbH, Bindlach
Aus dem Amerikanischen übersetzt von Sabine Rahn
Umschlagillustration: Jutta Knipping
Innenillustration: Rooobert Bayer
Printed in Germany (007)

www.loewe-verlag.de

Inhalt

WIE ALLES ANFING

Eines schönen Sommertages tauchte im Wald von Pepper Hill im amerikanischen Bundesstaat Pennsylvania ein Baumhaus auf. Der achtjährige Philipp und seine Schwester Anne kletterten hoch und entdeckten, dass es voller Bücher war. Die Geschwister fanden außerdem heraus, dass es verzaubert war. Denn mit diesem Baumhaus konnten sie zu all den Orten reisen, die sie in den Büchern sahen. Alles, was sie dazu tun mussten, war, auf eines der Bilder zu deuten und sich dort hinzuwünschen.

Philipp und Anne besuchten mit dem Baumhaus die Dinosaurier, die Ritter, eine ägyptische Königin, Piraten, Ninjas und den Regenwald am Amazonas.

Nach und nach fanden sie heraus, dass das

Baumhaus der Fee Morgan gehörte, einer Bibliothekarin, die magische Kräfte hat. Sie reist durch die Zeit und sammelt Bücher für die Bibliothek von König Artus.

Das Baumhaus war eine Weile verschwunden, da die Fee Morgan in die Zeit König Artus' zurückreisen musste. Als es wieder auftauchte, fanden Philipp und Anne eine kleine Maus im Baumhaus. Anne taufte ihre neue pelzige Freundin auf den Namen Mimi.

Außerdem fanden die Geschwister noch eine Nachricht von Morgan. Sie teilte ihnen mit, dass sie verzaubert worden war. Um sie zu erlösen, mussten Philipp und Anne vier besondere Dinge für sie finden. Das erste fanden sie im alten Japan und das zweite im Regenwald am Amazonas. Jetzt brechen Philipp, Anne und Mimi auf, um das dritte Ding zu suchen ...

Das Ding mit dem M

„Lass uns zum Baumhaus gehen",
schlug Anne vor.

Philipp und Anne gingen am Wald-
rand von Pepper Hill entlang. Sie waren
auf dem Heimweg von ihrem
Schwimmkurs.

„Nein, so können wir unmöglich zum
Baumhaus. Ich will nach Hause gehen
und meine Badesachen ausziehen",
widersprach Philipp.

„Ach, das dauert zu lange",
beschwerte sich Anne. „Willst du
Morgan so schnell wie möglich erlösen
oder nicht?"

„Natürlich ...", antwortete Philipp.

„Dann komm schon, ehe die Sonne untergeht", sagte Anne.

Sie lief in den Wald.

Philipp seufzte. Es wurde dann ja wohl nichts daraus, erst etwas Trockenes anzuziehen.

Er rückte seine Brille zurecht und folgte Anne in den Wald von Pepper Hill.

Die warme Luft roch frisch und grün.

Auf dem Waldboden wechselten sonnige und schattige Stellen. Bald erreichte Philipp eine kleine Lichtung.

„Beeil dich!", rief Anne. Sie kletterte schon die Strickleiter zum Baumhaus hinauf.

Philipp kletterte ihr hinterher und schließlich waren sie oben. „Quiek!" Eine Maus saß auf dem Fensterbrett.

„Hallo, Mimi!", rief Anne.

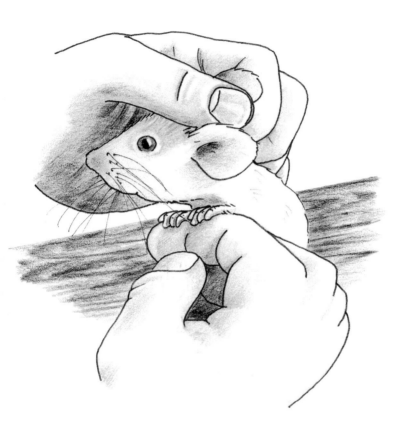

Philipp streichelte den kleinen Kopf.

„Tut mir leid, dass wir nicht eher kommen konnten", entschuldigte sich Anne. „Aber wir mussten zu unserem Schwimmunterricht."

15

„Quiek!"

„Und was ist passiert, während wir weg waren?", fragte Anne und sah sich um.

Philipp starrte auf den Holzboden, wo das große M schimmerte.

Auf dem M lagen ein Mondstein und eine Mango, die beiden Dinge, die sie schon für Morgan gefunden hatten.

„Hey, weißt du was?", fragte Philipp. „Mondstein und Mango fangen beide mit M an, genau wie Morgan."

„Du hast recht!", sagte Anne.

„Ich wette, alle vier Dinge fangen mit M an", meinte Philipp.

„Kann sein", sagte Anne. „Wo wir wohl den nächsten Gegenstand finden werden?"

Die beiden starrten auf die Stapel von Büchern im Baumhaus.

Bücher über den Regenwald am Amazonas, über Piraten, Mumien, Ritter und Dinosaurier.

Alle waren zu. Nur ein Buch lag aufgeschlagen in der Ecke.

„Wir werden es bald wissen", sagte
Philipp.

Sie gingen zu dem Buch rüber und
schauten sich die aufgeschlagene

Seite an. Darauf war ein Bild mit Felsen und Schnee zu sehen.

„Wow", sagte Anne und strich mit der Hand über das Bild. „Ich finde Schnee toll! Ich wünschte, wir könnten dort gleich hingehen!"

„Warte!", rief Philipp. „Wir sind ja überhaupt nicht vorbereitet!" Dann sah er an sich herunter. „Und wir haben nur unsere Schwimmsachen an! Stopp!"

„Oje!", sagte Anne.

Aber es war zu spät! Wind kam auf.

Die Blätter begannen zu zittern.

Das Baumhaus fing an, sich zu drehen.

Es drehte sich schneller und immer schneller.

Dann war wieder alles ruhig.

Es war so ruhig wie eine tief verschneite Winterlandschaft.

Lauter Knochen

Philipp, Anne und Mimi sahen nach draußen.

Schnee fiel vom grauen Himmel.

Das Baumhaus war im höchsten Baum eines kleinen Wäldchens aus großen, kahlen Bäumen gelandet.

Das Wäldchen lag in einer weiten weißen Ebene. An die Ebene grenzten hohe, schroffe Felsen.

„Mir ist kalt", sagte Anne mit klappernden Zähnen. Sie zog sich ihr Handtuch enger um die Schultern.

„Qu-quiek!" Auch Mimi hörte sich an, als ob sie frieren würde.

„Armes Mäuschen", sagte Anne. „Ich

20

stecke dich in Philipps Rucksack. Dort
ist es ein bisschen wärmer für dich."

Anne ließ Mimi in die Seitentasche
des Rucksacks gleiten.

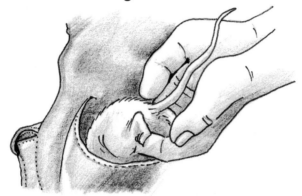

„Wir müssen zurück nach Hause",
sagte Philipp. „Wir brauchen wärmere
Kleider."

„Wir können gar nicht nach Hause",
sagte Anne. „Wir können doch das
Pennsylvania-Buch gar nicht finden.
Nicht ehe wir unsere Aufgabe erfüllt
haben. Weißt du nicht mehr? So
funktioniert die Magie."

„Oh, stimmt!", erinnerte sich Philipp. Er schaute sich um. Das Pennsylvania-Buch, mit dem sie sonst immer wieder nach Hause reisen konnten, war nirgends zu sehen.

Anne blickte noch mal aus dem Fenster. „Wo sind wir überhaupt?", fragte sie.

„Ich schaue nach", sagte Philipp. Er hob das aufgeschlagene Buch auf und las den Titel vor: „Leben in der Eiszeit."

„Eiszeit?", wiederholte Anne. „Kein Wunder, dass wir frieren."

„Wir beeilen uns besser damit, dieses M-Ding zu finden", meinte Philipp. „Ehe wir erfrieren."

„Schau doch", flüsterte Anne. „Menschen!" Sie deutete aus dem Fenster.

Jetzt sah Philipp sie auch. Vier

Gestalten auf den Felsen. Eine große
und drei kleinere. Alle hielten lange
Speere.

„Wer sind die?", fragte Anne.

„Ich schau im Buch nach", schlug
Philipp vor.

Er fand ein Bild mit Menschen. Er las
die Bildunterschrift vor:

Die frühen Menschen heißen Cromagnonmenschen. Während der späten Eiszeit leb-
ten sie oft in Felsenhöhlen.

„Und warum tragen sie Speere?",
fragte Anne.

Philipp blätterte weiter. Er fand ein
weiteres Bild von den Cromagnonmenschen. Er las wieder vor:

Die Cromagnonfamilien jagten oft ge-
meinsam. Sie bedeckten ein Loch mit
Zweigen. Dann trieben sie Rentiere und
Mammuts in diese Fallen.

„Oh, Fallen für Tiere, wie traurig", fand
Anne.

24

„Gar nicht!", widersprach Philipp.
„Ohne zu jagen, hätten sie nicht über-
leben können. Sie hatten schließlich
keine Supermärkte!"

Sie beobachteten, wie die Familie auf
der anderen Seite der Felsen ver-
schwand.

„Komm, mir ist eiskalt", sagte Philipp.
„Wir beeilen uns beim Suchen, solange
die Cromagnons jagen."

„Aber ich würde sie gerne kennen-
lernen", sagte Anne.

„Bloß nicht!", sagte Philipp. „Sie haben keine Bücher, in denen sie etwas über uns nachlesen könnten. Sie werden denken, wir wären irgendwelche Feinde, und ihre Speere auf uns werfen!"

„Oje!", sagte Anne.

Philipp steckte sein Buch weg.

„Quiek!" Mimi sah aus dem Rucksack heraus.

„Bleib drin!", sagte Anne.

Philipp setzte seinen Rucksack auf und kletterte die Strickleiter hinunter. Anne kletterte ihm hinterher.

Auf dem eisigen Boden rückten die beiden enger zusammen.

Es wehte ein beißender Wind. Philipp zog sich sein Handtuch über den Kopf. Der Schnee wurde gegen seine Brille geblasen.

„Hey, Philipp, guck mal!", sagte Anne. Sie hatte ihre Schwimmbrille aufgesetzt. „Jetzt kann ich sehen!"

„Gute Idee!", fand Philipp. „Leg dir das Handtuch über den Kopf. Die meiste Körperwärme verliert man nämlich über den Kopf."

Anne wickelte sich das Handtuch um den Kopf, wie Philipp es vorgemacht hatte.

„Wir müssen eine Höhle oder so
etwas suchen, wo es wärmer ist",
schlug Philipp vor.

„Ich wette, in dieser Felsenwand gibt
es eine Menge Höhlen", meinte Anne.

Die beiden Geschwister gingen los.
Der Schnee war noch nicht sehr tief,
aber der Wind wehte stark.

„Ich hab's gewusst!", rief Anne und
deutete auf eine Öffnung in den
Felsen: eine Höhle.

Sie rannten darauf zu.

Drinnen war es auch nicht viel
wärmer, aber zumindest blies der Wind
hier nicht.

In dem fahlen Licht der Höhle
klopften sie sich den Schnee von den
Turnschuhen.

Anne nahm ihre Schwimmbrille ab.

„Hier riecht es seltsam", fand Philipp.

„Ja, nach nassem Hund", meinte Anne.

„Vielleicht steht etwas darüber im Buch", sagte Philipp und nahm das Buch aus seinem Rucksack.

„Ich schau mich mal um", sagte Anne. „Vielleicht ist der Gegenstand, der mit M beginnt, ja hier. Dann können wir wieder nach Hause in die Wärme."

Philipp blieb am Eingang stehen,
damit er lesen konnte.

„Diese Höhle ist voller Stöcke",
berichtete Anne.

„Was?", fragte Philipp, ohne von
seinem Buch aufzublicken.

„Nein, stimmt nicht, ich glaube, das
sind Knochen!", meinte Anne.

„Knochen?", wiederholte Philipp.

„Ja. Ganz viele! Überall auf dem Boden."

Philipp blätterte um und fand ein Bild von einer Höhle mit vielen Knochen.

„Ich höre etwas", sagte Anne.

Philipp las den Text unter dem Bild von der Höhle:

Die großen Höhlenbären der Eiszeit waren über 2,50 m groß. Diese Bären waren größer und gefährlicher als die heutigen Grizzly-bären. Ihre Höhlen waren voll mit den Knochen ihrer Vorfahren.

„Anne", flüsterte Philipp. „Komm sofort zurück."

Sie waren in der Höhle eines großen Höhlenbären!

Brrr!

„Anne", flüsterte Philipp wieder.

Keine Antwort.

Er steckte das Buch leise wieder zurück in den Rucksack. Dann ging er tiefer in die Höhle.

„Anne!", wisperte er etwas lauter.

Philipp trat auf die Knochen.

Der Geruch nach nassem Hund wurde stärker.

Philipp ging immer weiter durch die Dunkelheit, dem Geruch entgegen.

Dann stieß er gegen etwas und hielt erschrocken die Luft an.

„Philipp?", fragte Anne, „bist du das?"

„Hast du mich nicht rufen hören?",
flüsterte Philipp. „Wir müssen hier
raus."

„Warte mal", sagte Anne. „Dahinten
schläft jemand. Hörst du das
Geräusch?"

Philipp hörte ein tiefes, dunkles
Schnarchen. Es wurde lauter und
wieder leiser, lauter und leiser.

„Das ist kein Mensch", sagte er. „Das
ist ein großer Höhlenbär!"

Ein lauter Schnarcher ließ sie zusammenzucken.

„Auweia", sagte Anne.

„Lauf los", flüsterte Philipp.

Die beiden Geschwister rannten durch die Höhle, stolperten über die Knochen und standen schließlich im wirbelnden Schnee.

Zwischen den zerklüfteten Felsen liefen sie weiter und weiter.

Schließlich blieben sie stehen und schauten zurück.

Alles, was sie sehen konnten, waren Schnee, Felsen und ihre eigenen Fußspuren.

Kein Bär.

„Puh!", machte Anne. „Da haben wir noch mal Glück gehabt!"

„Ja", sagte Philipp. „Der Bär ist wahrscheinlich nicht einmal aufgewacht! Wir sind nur in Panik geraten."

Anne schmiegte sich enger an Philipp. „Brrr! Mir ist kalt", sagte sie.

„Mir auch", antwortete Philipp.

Er nahm seine Brille ab und wischte den Schnee weg. Der Wind blies eisig.

„Hey", sagte Anne, „sieh mal!" Sie deutete auf etwas hinter Philipp.

„Was?" Philipp setzte seine Brille
wieder auf und drehte sich um.

Unter einem Felsvorsprung befand
sich ein breiter Sims und darunter war
noch eine Höhle.

Aber aus *dieser* Höhle kam ein
goldener Schimmer.

Sie sah gemütlich, sicher und warm
aus.

Höhlenkinder

Philipp und Anne schlichen sich zu der Höhle und spähten hinein.

Eine kleine Flamme tanzte auf einem Häufchen glühender Kohlen.

In der Nähe des Feuers lagen Messer, Äxte und ausgehöhlte Steine.

Tierhäute waren ordentlich an der Höhlenwand gestapelt.

„Hier leben ja Menschen", sagte Anne.

„Vielleicht ist das die Höhle der Cromagnons, die wir gesehen haben", vermutete Philipp und blickte sich um.

„Lass uns reingehen und uns aufwärmen", drängte Anne.

Philipp und Anne liefen schnell zum Feuer und hielten ihre Hände darüber. Ihre Schatten tanzten an den steinigen Wänden.

Philipp holte das Eiszeit-Buch hervor und fand das Bild einer Höhle. Er las:

Die Cromagnonmenschen fertigten viele Dinge aus Stein, Pflanzen und Tieren. Sie stellten Flöten aus Mammut-Knochen her, flochten aus Pflanzenfasern Seile und fertigten Äxte und Messer aus Stein.

Philipp zog sein Notizbuch aus dem Rucksack und schrieb eine Liste:

Cromagnons machten:
Knochenflöten
Pflanzenseile
Steinäxte und -messer

„Tata!", rief Anne.

Philipp sah auf. Anne hatte einen Pelzmantel an.

Er hatte eine Kapuze, lange Ärmel und reichte ihr bis hinunter zu den Turnschuhen.

„Wo hast du das her?", fragte Philipp.

„Von diesem Haufen weicher Felle", antwortete Anne. „Das sind bestimmt ihre Kleider. Vielleicht müssen die hier geflickt werden?"

Sie hob einen weiteren Mantel auf und reichte ihn Philipp.

„Probier mal den hier", sagte sie.

Philipp legte seinen Rucksack und sein Handtuch auf den harten Lehmboden und zog den Mantel über.

Er war warm und weich.

„Jetzt sehen wir aus wie Höhlenkinder!", meinte Anne.

„Quiek!" Mimi sah aus dem Rucksack heraus, der auf dem Boden lag.

„Du bleibst besser da drin", sagte Anne. „Wir haben keinen so winzigen Mantel für dich."

Mimi kroch wieder zurück.

„Wie sie diese Pelzmäntel wohl herstellen?", fragte Philipp.

Er blätterte in dem Buch, bis er ein Bild von Cromagnonfrauen fand, die nähten. Er las:

Die Cromagnons bearbeiteten Rentierfelle mit Feuersteinen, damit sie weich wurden. Sie benutzten Knochen-Nadeln, um die Felle zu Kleidungsstücken zusammenzunähen.

Philipp fügte zu seiner Liste hinzu:

Kleider aus Rentierfellen

„Ich hoffe, die Höhlenmenschen haben nichts dagegen, dass wir uns ihre Mäntel borgen", meinte Philipp.

„Vielleicht sollten wir ihnen unsere Handtücher dalassen?", meinte Anne. „Als Dank."

„Gute Idee."

„Und meine Schwimmbrille auch", sagte Anne.

Sie legten ihre Geschenke auf die anderen Felle.

„Komm, wir sehen uns noch die Höhle an, ehe sie zurückkommen", schlug Philipp vor und wollte sich schon auf den Weg machen.

„Dort hinten ist es zu düster", wandte Anne ein. „Da werden wir gar nichts sehen können."

„Ich schlage mal nach, wie die Cromagnons ihre Höhlen erhellt haben", sagte Philipp.

Er öffnete das Eiszeit-Buch und fand ein Bild von Höhlenmenschen, die eine seltsam aussehende Lampe hielten. Er las vor:

Die Cromagnons stellten Steinlampen her. Sie höhlten einen Stein aus, füllten ihn mit Tierfett und verbrannten darin einen Docht aus Moos.

„Dort!" Anne deutete auf zwei Stein-
schalen, die in der Nähe des Feuers
standen. In beiden befanden sich eine
zähe weißliche Masse und ein Docht
aus Moos.

„Wir müssen vorsichtig sein", sagte Philipp.

Er hob einen Stein auf. Er war kleiner als eine Suppenschüssel, aber viel schwerer.

Philipp hielt den Stein näher ans Feuer und zündete das Moos an.

Dann zündete er die zweite Lampe an und gab sie Anne.

„Du musst sie mit beiden Händen nehmen", warnte Philipp.

„Ich weiß", sagte sie.

Philipp klemmte sich das Buch unter den Arm. Die beiden Geschwister trugen ihre Steinlampen zum hinteren Teil der Höhle.

„Wo es da wohl hingeht?", fragte Anne und hielt ihre Lampe durch eine Öffnung in der Wand.

„Ich seh mal im Buch nach", sagte Philipp. Er stellte seine Lampe ab und blätterte durch das Eiszeit-Buch.

„Ich glaube, das ist ein Tunnel", vermutete Anne. „Ich bin gleich zurück."

„Warte mal", sagte Philipp.

Zu spät – sie hatte sich schon durch die Öffnung gequetscht und war verschwunden.

„Oh Mann!", seufzte Philipp.

Er schlug das Buch zu und spähte durch das Loch.

„Komm zurück!", rief er.

„Nein, komm du her!", rief Anne zurück. Ihre Stimme klang ganz weit weg. „Das hier kannst du dir gar nicht vorstellen!"

Philipp nahm die Lampe und das Buch und schob sich in den engen Tunnel.

„Irre!", hörte er Annes Stimme.

Philipp konnte ihre Lampe flackern sehen.

Gebückt lief er auf das Licht zu. Am Ende des Tunnels war eine riesige Höhle mit einer hohen Decke.

„Schau nur!", sagte Anne und ihre Stimme hallte.

An die Wände waren mit roten, schwarzen und gelben Strichen Tiere gemalt: Höhlenbären, Löwen, Elche, Rentiere und Bisons sowie Wollnashörner und Mammuts.

In dem flackernden Licht sahen die Urzeit-Tiere richtig lebendig aus.

Spuren im Schnee

„Wahnsinn! Wo sind wir hier?", staunte Philipp.

„Vielleicht ist das eine Art Museum", meinte Anne.

„Glaube ich nicht", widersprach Philipp. „Es ist zu schwierig hierherzukommen."

Er schlug in dem Buch unter „Höhlenzeichnungen" nach.

Diese Eiszeit-Tiere wurden vor 25 000 Jahren gemalt. Cromagnonmenschen zeichneten die Tiere, die sie jagten. Wahrscheinlich haben sie geglaubt, das würde ihnen Macht über diese Tiere geben.

„Sieh dir das an!", rief Anne
begeistert.

Sie deutete auf eine Zeichnung
weiter unten an der Wand.

Da war eine Figur mit Armen und
Beinen wie ein Mensch, einem Rentier-
geweih und einem Eulengesicht. Die
Gestalt schien eine Flöte zu halten.

Philipp schlug in dem Buch nach. Er fand ein Bild einer solchen Figur und las:

Die Höhlenmenschen wurden wahrschein-lich von einer Art Zauberer, dem „Herrn der Tiere", geführt. Er trug vermutlich ein Ren-tiergeweih, damit er so schnell rennen konnte wie ein Rentier, und eine Eulenmaske, damit er so gut sehen konnte wie eine Eule.

„Was ist das?", fragte Anne, die immer noch die Zeichnung betrachtete.

„Der Herr der Tiere", antwortete Philipp. „Er ist ein Zauberer."

„Wahnsinn!", hauchte Anne. „*Der* ist es!"

„Wer ist was?", fragte Philipp.

„Er ist es, den wir finden sollten."

„Wieso?"

„Vielleicht ist er ja ein Freund von Morgan?", vermutete Anne.

Sie gingen durch den Tunnel zurück in die erste Höhle.

„Wir stellen die Lampen besser zurück", meinte Philipp und blies sie aus.

Philipps Rucksack lag auf dem Boden neben den Fellen. Philipp steckte das Eiszeit-Buch hinein.

„Wie geht es Mimi?", fragte Anne.

Philipp sah in die Tasche. „Sie ist nicht da!", rief er.

„Oh nein!", rief Anne. „Sie muss herausgeklettert sein, als wir uns die Bilder angesehen haben!"

„Mimi!", rief Philipp.

„Mimi!", rief Anne.

Anne lief in der Höhle umher und suchte überall.

Philipp sah am Feuer und unter den Fellen nach.

„Philipp! Komm mal her!", rief Anne.

Sie stand in der Nähe des Höhlen-eingangs.

Es hatte aufgehört zu schneien.

Im Schnee waren winzige Spuren.

Das Lied des Windes

„Das sind Mimis Spuren", sagte Anne. „Wir müssen sie finden, ehe sie erfriert."

Sie zog ihren Fellmantel enger um sich und stapfte in den Schnee. Philipp setzte seinen Rucksack auf und folgte ihr. Die Mäusespuren führten zwischen Felsbrocken hindurch zurück in die Ebene.

Der Wind blies stärker. Schnee wirbelte über den Boden und bedeckte die winzigen Fußspuren.

„Ich kann sie nicht mehr erkennen", klagte Anne.

Die beiden Geschwister standen jetzt

in der Mitte der Ebene. Sie starrten auf den vom Wind verwehten Schnee. Die Mäusespuren waren verschwunden.

„Oje", flüsterte Anne und sah nach oben.

Philipp folgte ihrem Blick. Auf einem der Felsen stand ein riesiger Tiger mit zwei langen, scharfen Fangzähnen.

„Ein Säbelzahntiger", sagte Philipp.

„Ich hoffe nur, er sieht uns nicht", flüsterte Anne.

„Ich auch", flüsterte Philipp zurück.
„Wir gehen besser zurück zum Baumhaus."

Philipp und Anne schlichen sich leise
durch den Schnee. Dann schaute
Philipp zurück.

Der Säbelzahntiger war weg.

„Oh Mann!", seufzte Philipp. „Wo ist
er jetzt?"

„Rennen wir zu den Bäumen!", sagte
Anne. Er und Anne liefen los. Sie
rannten über die verschneite Ebene
auf die hohen, kahlen Bäume in der
Ferne zu.

Plötzlich krachte es.

Der Boden gab nach und Philipp
stürzte.

Und Anne mit ihm. Sie brachen durch
einen Haufen Zweige, Schnee und
Erde und landeten recht unsanft.

Sie rappelten sich wieder hoch und
Philipp rückte seine Brille zurecht.

„Hast du dir wehgetan?", fragte er
Anne.

„Nein", antwortete sie.

Beide schauten nach oben. Sie waren in einem tiefen Loch. Alles, was Philipp sehen konnte, waren die grauen Wolken.

„Das ist eine Falle", sagte Philipp. „Die Cromagnons müssen die Zweige über dieses Loch gelegt haben. Dann hat der Schnee die Zweige bedeckt, sodass wir sie nicht gesehen haben."

„Es gibt keinen Weg raus", sagte Anne.

Sie hatte recht. Sie waren völlig hilflos. Die Grube war zu tief, um herauszuklettern.

„Ich fühle mich wie ein gefangenes Tier", sagte Anne.

„Ich auch", stimmte Philipp zu.

In der Ferne hörten sie ein Knurren.

„Der Säbelzahntiger", flüsterte Anne.

Philipp holte sein Eiszeit-Buch

heraus, fand ein Bild von einem Säbelzahntiger und las:

Der Säbelzahntiger war das gefährlichste Tier
der Eiszeit. Er griff sowohl Menschen als auch
das Wollmammut und andere große Tiere an.

„Oh Mann!", seufzte Philipp.
   „Hör mal!" Anne packte seinen Arm.
   „Was?"
   „Das ist doch Musik, oder?", meinte
Anne.
   Philipp lauschte. Aber alles, was er
hörte, war der Wind.

„Hörst du es?", fragte Anne.

„Nein", antwortete Philipp.

„Psst!", machte Anne und hielt einen Finger vor den Mund.

Philipp schloss die Augen und lauschte angestrengt.

Er hörte den Wind, aber diesmal auch noch einen anderen Laut.

Eine seltsame, beunruhigende Musik.

„Ahh!", schrie Anne.

Philipp öffnete die Augen.

Eine Gestalt mit einem Rentiergeweih und einer Eulenmaske starrte zu ihnen herunter.

„Der Zauberer", flüsterte Philipp.

„Quiek!"

Mimi sah auch zu ihnen hinunter.

Das Geschenk des Zauberers

Der Zauberer sprach kein Wort. Er starrte die Geschwister durch die Augenlöcher der Eulenmaske an.

„Bitte, helfen Sie uns!", bat Anne.

Der Zauberer warf ein Seil in die Grube. Philipp ergriff es.

„Er will uns hochziehen", sagte Anne.

Philipp sah nach oben. Der Zauberer war verschwunden.

„Wo ist er hingegangen?", fragte Philipp.

„Das Seil festbinden", antwortete Anne.

Philipp zog. Das Seil spannte sich und wurde langsam hochgezogen.

„Ich gehe als Erste", sagte Anne.

„Anne, das ist kein Spiel", warnte Philipp.

„Keine Sorge", antwortete Anne. „Ich bin vorsichtig."

Philipp reichte ihr das Seil. „Aber halte dich gut fest."

Anne packte das Seil mit beiden Händen. Sie stemmte ihre Füße gegen die Grubenwand. Dann stieg sie mit dem Seil immer höher.

Sie lief an der Grubenwand hoch, bis sie oben war.

Philipp sah, wie der Zauberer Anne hinaushalf. Dann entfernten sie sich wieder aus seinem Sichtfeld.

Philipp war überrascht. Der Zauberer hatte Anne mit beiden Händen hinaus-geholfen. Wer hielt dann das andere Ende des Seiles?

„Wahnsinn!", hörte er Anne rufen.

„Was ist da los?", fragte sich Philipp.

Der Zauberer kam zurück und warf das Seil wieder hinunter.

Philipp packte es und das Seil wurde wieder hochgezogen.

Philipp hielt sich gut fest, er stieg immer höher. Dabei brannten seine Hände und seine Arme fühlten sich an, als ob sie aus den Gelenken gerissen würden.

Aber er hielt sich am Seil fest und stemmte seine Füße gegen die Grubenwand.

Oben zog der Zauberer Philipp auf den verschneiten Boden.

„Danke", sagte Philipp und richtete sich auf.

Der Zauberer war sehr groß. Er trug einen langen Pelzmantel. Philipp

konnte nur seine Augen durch die
Eulenmaske erkennen.

„Hallo!", rief Anne.

Philipp drehte sich um.

Anne saß auf einem Wollmammut.

„Quiek."

Mimi saß auf dem Kopf des Mammuts.

Das Mammut sah aus wie ein gigantischer Elefant mit zotteligen rötlichen Haaren und langen gebogenen Stoßzähnen.

Das andere Ende des Seiles war dem Mammut um den Hals gebunden.

„Lulu hat uns hochgezogen", sagte Anne.

„Lulu?", fragte Philipp.

„Findest du nicht, dass es aussieht wie eine Lulu?", fragte Anne.

„Oh Mann", sagte Philipp. Er ging auf das Mammut zu.

„Hey, Mammut fängt auch mit M an", sagte Anne. „Vielleicht ist Lulu das besondere Ding."

„Das glaube ich nicht", sagte Philipp.

Das große Tier kniete nieder – genau
wie ein Zirkuselefant.

„Irre", sagte Anne und hielt sich an
den Ohren des Mammuts fest, um
nicht herunterzufallen.

Der Zauberer half Philipp auf das
Mammut hinauf.

„Danke", sagte Philipp.

Dann griff der Zauberer in eine
Tasche. Er zog einen glatten weißen
Knochen heraus und reichte ihn
Philipp.

Der Knochen war hohl. Er hatte vier Löcher auf der einen und zwei Löcher auf der anderen Seite. „Ich glaube, das ist eine Flöte", sagte Philipp. „Im Buch steht, dass die Höhlenmenschen Flöten aus Mammut-Knochen herstellten."

Philipp versuchte, dem Zauberer die Flöte zurückzugeben.

„Hübsch", sagte er höflich.

Aber der Zauberer hob abwehrend seine Hand.

„Er will, dass du den Mammut-Knochen behältst", sagte Anne.

„Mammut-Knochen", flüsterte Philipp. „Hey, vielleicht ist das ja der dritte Gegenstand!"

Philipp sah den Zauberer an. „Kennen Sie Morgan?", fragte er.

Der Zauberer antwortete nicht, aber seine Augen strahlten freundlich.

Er wendete sich von Philipp ab und band das Seil los. Dann flüsterte er dem riesigen zotteligen Tier etwas ins Ohr.

Als das Mammut aufstand, klammerte Philipp sich an Annes Mantel, um nicht herunterzufallen. Er war plötzlich so hoch über der Erde!

Er setzte sich hinter Anne zurecht.
Sie saßen in der Kuhle zwischen dem
Kopf des Mammuts und seinem
riesigen, gewölbten Rücken.

Das große Tier machte einige
langsame, stampfende Schritte durch
den Schnee und wurde dann schneller.

„Wo gehen wir hin?", fragte Philipp,
während sie auf und ab hopsten.

„Zum Baumhaus", antwortete Anne.

Philipp sah zurück.

Der Zauberer stand im Schnee und
sah ihnen nach.

In diesem Moment rissen die Wolken
auf und die Sonne kam hervor.

Philipp war von dem Sonnenlicht auf
dem Schnee geblendet.

Er blinzelte, um besser sehen zu
können – aber der Zauberer war
verschwunden.

Die große Parade

Das Mammut stapfte über die offene Ebene.

„Sieh mal!", rief Anne. Sie deutete auf eine Herde Elche. Sie hatten riesige, ausladende Geweihe.

„Und dort!", rief Philipp, als eine Rentierherde auftauchte. Sie staksten anmutig durch den Schnee.

Dann gesellte sich auf der weiten Ebene auch noch ein Wollnashorn zu ihnen und ein Bison. Die vielen Elche, die Rentiere, das Nashorn und der Bison folgten ihnen – allerdings mit Abstand in einigen Metern Entfernung.

Sie schienen Anne und Philipp zum Baumhaus begleiten zu wollen.

Der Schnee funkelte im Sonnenlicht.

„Das ist ja eine tolle Parade", dachte Philipp. „Wahnsinn!"

Sie kamen immer näher zu dem Wäldchen mit den hohen Bäumen.

„Ich habe dir doch gesagt, dass Lulu uns nach Hause bringt", meinte Anne.

Doch plötzlich stieß das Mammut
einen Schrei aus und alle anderen
Tiere flohen.

Mimi quiekte.

Philipp sah sich um.

Hinter ihnen schlich der Säbelzahntiger durch den glitzernden Schnee.

Das Wollmammut brüllte und stürmte vorwärts.

Philipp und Anne fielen beinahe herunter.

Philipp klammerte sich an Anne. Anne und Mimi klammerten sich in das zottelige Haar des Urtieres.

Das Mammut donnerte über den verschneiten Boden.

„Ahhh!", schrien Philipp und Anne.

Das Mammut raste auf das Wäldchen zu.

Aber der Säbelzahntiger war um die Bäume herumgelaufen. Jetzt stand er zwischen dem höchsten Baum und dem Mammut.

Sie saßen in der Falle.

Der Säbelzahntiger kam langsam näher.

Das Wollmammut brüllte grimmig.

Aber Philipp wusste, dass ein Säbelzahntiger jedes Tier töten konnte –
auch ein Mammut.

Der Kopf des riesigen Tigers war
gebeugt. Seine brennenden Augen
waren auf das Mammut geheftet. Seine
langen Fänge glänzten im Sonnenlicht.

Der Herr der Tiere

Der Tiger schlich vorwärts.

Philipp starrte entsetzt nach unten.

„Spiel die Flöte", flüsterte Anne.

„Ist sie völlig übergeschnappt?",
dachte er.

„Versuch es", beharrte Anne.

Philipp hielt die Mammut-Knochen-
Flöte an seine Lippen und blies hinein.

Die Flöte gab einen seltsamen Laut
von sich.

Der Tiger hielt inne. Er starrte Philipp
an.

Philipps Hände zitterten.

Der Tiger knurrte. Er machte noch
einen Schritt.

Das Mammut brüllte und stampfte auf den Boden.

„Spiel!", rief Anne. „Spiel weiter!"

Philipp blies noch einmal in die Flöte.

Der Säbelzahntiger erstarrte wieder.

Philipp spielte, bis er außer Atem war.

Der Tiger fletschte die Zähne.

„Er ist immer noch da", flüsterte Anne. „Spiel weiter."

Philipp schloss die Augen. Er holte tief Luft und blies, so fest und lang er konnte. Mit den Fingern öffnete und verschloss er die Löcher in dem Knochen.

Die Melodie hörte sich seltsam an – als ob sie aus einer anderen Welt käme.

„Er geht", flüsterte Anne.

Philipp hob die Augen. Der Säbelzahntiger schlich sich in Richtung Felsen davon.

„Wir haben es geschafft!", rief Anne.

Philipp senkte die Flöte. Er war sehr erschöpft.

Das Mammut schwenkte glücklich seinen Rüssel.

„Zum Baumhaus bitte, Lulu", sagte Anne.

Das Wollmammut schnaubte. Dann trottete es hinüber zum höchsten Baum.

Vom Rücken des Mammuts aus ergriff Philipp die Strickleiter und hielt sie für Anne fest.

Anne streichelte das riesige Ohr des Mammuts. „Tschüss, Lulu. Danke schön." Dann kletterte sie die Strick-leiter nach oben, gefolgt von Mimi.

Nachdem die beiden im Baumhaus

verschwunden waren, kletterte Philipp
hoch.

Er sah noch einmal zu dem Mammut
hinunter.

„Tschüss", sagte er. „Geh jetzt wieder nach Hause. Und nimm dich vor dem Säbelzahntiger in Acht!"

Das Mammut lief davon, dem Sonnenuntergang entgegen.

Als Philipp es nicht mehr sehen konnte, zog er sich hoch ins Baumhaus.

„Tata!", machte Anne und reichte ihrem Bruder das Pennsylvania-Buch.

Philipp lächelte. Jetzt war er sich sicher, dass sie das dritte Ding mit M gefunden hatten. Sie hatten ihre Aufgabe erfüllt.

„Bevor wir abreisen, müssen wir die Mäntel zurückgeben", sagte Anne.

„Du hast recht", stimmte Philipp zu.

Sie zogen die Rentierfell-Mäntel aus und warfen sie nach unten.

„Brrr!", machte Anne. „Ich hoffe nur,

die Cromagnonmenschen finden sie hier!"

Philipp sah aus dem Fenster. Er wollte einen letzten Blick auf die eiszeitliche Welt dort draußen werfen.

Die Sonne ging schon hinter den Hügeln unter. Vier Menschen überquerten die verschneite Ebene. Es war die Cromagnonfamilie.

„Hey!", schrie Anne.

„Psst!", machte Philipp.

Die Cromagnonmenschen blieben stehen und sahen in Richtung Baumhaus.

„Wir haben die Rentier-Mäntel hierher gelegt. Da unten!" Anne deutete zur Erde.

Die größte Gestalt trat vor und hob ihren Speer.

„Zeit zu verschwinden", sagte Philipp.

Er nahm das Pennsylvania-Buch, suchte das Bild von Pepper Hill, deutete darauf und sagte: „Ich wünschte, wir wären zu Hause."

„Tschüss, und viel Glück!", rief Anne und winkte aus dem Fenster.

Dann fing der Wind an zu wehen.

Die Äste begannen zu zittern.

Der Wind wurde immer stärker und
das Baumhaus begann, sich zu drehen.
Es drehte sich immer schneller und
schneller.
Dann war alles wieder still.
Totenstill.

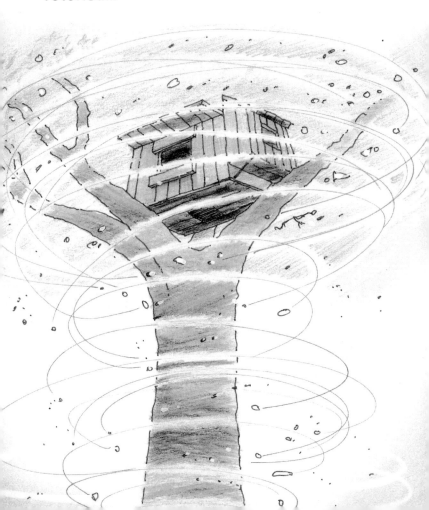

Wieder in der Gegenwart

Die Vögel sangen. Die Luft war weich und warm.

„Ich hoffe, sie finden ihre Mäntel", sagte Anne.

„Hmm", machte Philipp und rückte seine Brille zurecht.

„Quiek!"

„Hey du – wie hast du den Zauberer gefunden?", fragte Anne die Maus.

Die Maus funkelte sie mit ihren braunen Augen an.

„Das ist ein Geheimnis, ja?" Anne wandte sich an Philipp. „Wo ist die Flöte?"

Er hielt den Mammut-Knochen hoch

und legte ihn auf das schimmernde M
auf dem Fußboden neben die Mango
aus dem Regenwald und den
Mondstein, den sie im alten Japan
gefunden hatten.

„Mondstein, Mango, Mammut-
Knochen ...", murmelte Anne. „Jetzt
fehlt uns nur noch ein einziges Ding.
Dann können wir Morgan aus ihrer
Verzauberung erlösen."

„Morgen", sagte Philipp.

Anne streichelte Mimi und sagte: „Tschüss, du."

Dann kletterte sie die Strickleiter hinunter.

Philipp packte seine Sachen zusammen. Dann sah er die Maus an und sie blickte mit ihren großen braunen Augen zurück.

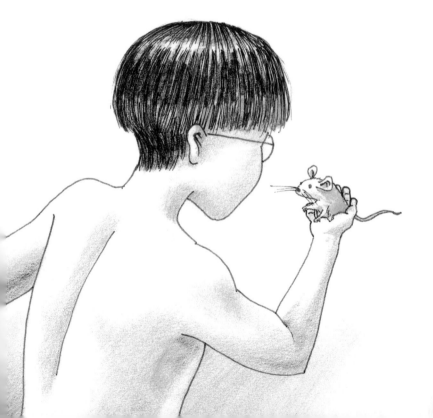

„Danke, dass du uns geholfen hast",
sagte Philipp.

Auch er kletterte die Leiter hinunter
und sprang auf den Boden.

Philipp und Anne rannten durch den
Wald von Pepper Hill und in ihre
Straße.

„Es ist schön, wieder zurück in der
Gegenwart zu sein!", dachte Philipp.
„Warm, sicher und fast zu Hause!"

„Ich bin froh, dass wir uns unser
Abendessen nicht erst jagen müssen",
sagte er.

„Ja, das haben Mama und Papa
schon gemacht – im Supermarkt!",
meinte Anne und merkte, wie sie
allmählich Hunger bekam.

„Ich hoffe, ihnen sind heute Spaghetti
mit Fleischbällchen in die Falle
gegangen", sagte Philipp.

„*Ich* hoffe, ihnen ist eine Pizza in die Falle gegangen!", kicherte Anne.

„Beeil dich, ich bin am Verhungern", sagte Philipp.

Sie rannten über den Hof und durch die Haustür.

„Wir sind wieder da", rief Anne.

„Was gibt es zu essen?", fragte Philipp.

Mary Pope Osborne lernte schon als Kind viele Länder kennen. Mit ihrer Familie lebte sie in Österreich, Oklahoma, Florida und anderswo in Amerika. Nach ihrem Studium zog es sie wieder in die Ferne und sie reiste viele Monate durch Asien. Schließlich begann sie zu schreiben und war damit außerordentlich erfolgreich. Bis heute sind schon über fünfzig Bücher von Mary Pope Osborne erschienen. *Das magische Baumhaus* ist in den USA und Deutschland eine der beliebtesten Kinderbuchreihen.

Rooobert Bayer, 1968 in Wien geboren, machte sein Hobby mit 24 Jahren zum Beruf. Als Zeichner war jetzt kein Blatt Papier mehr vor ihm sicher. Von Karikaturen bis zu Wandgemälden malte er fast alles, was ihm unter die Pinsel kam. Jetzt illustriert er insbesondere Kinderbücher.

Das magische Baumhaus

Band 31

Band 32

Band 33

Band 34

Band 35

Band 36